Ionawr · January

Dydd Sadwrn · Saturday 1

Dydd Calan · New Year's Day ⭐

Dydd Sul · Sunday 2

Nodiadau · Notes

3 Dydd Llun · Monday

4 Dydd Mawrth · Tuesday

5 Dydd Mercher · Wednesday

6 Dydd Iau · Thursday

Dydd Gwener · Friday 7

Dydd Sadwrn · Saturday 8

Dydd Sul · Sunday 9

Nodiadau · Notes

10 Dydd Llun · Monday

11 Dydd Mawrth · Tuesday

12 Dydd Mercher · Wednesday

13 Dydd Iau · Thursday

Dydd Gwener • Friday **14**

Dydd Sadwrn • Saturday **15**

Dydd Sul • Sunday **16**

Nodiadau • Notes

Ionawr · January 2022

17 Dydd Llun · Monday

18 Dydd Mawrth · Tuesday

19 Dydd Mercher · Wednesday

20 Dydd Iau · Thursday

Dydd Gwener · Friday 21

Dydd Sadwrn · Saturday 22

Dydd Sul · Sunday 23

Nodiadau · Notes

24 Dydd Llun · Monday

25 Dydd Mawrth · Tuesday

♥ Diwrnod Santes Dwynwen · St Dwynwen's Day

26 Dydd Mercher · Wednesday

27 Dydd Iau · Thursday

Dydd Gwener · Friday 28

Dydd Sadwrn · Saturday 29

Dydd Sul · Sunday 30

Nodiadau · Notes

31 Dydd Llun · Monday

Chwefror · February

Paned o de
a rhoi'r byd yn ei le..

Chwefror · February 2022

1 Dydd Mawrth · Tuesday

2 Dydd Mercher · Wednesday

3 Dydd Iau · Thursday

Dydd Gwener · Friday 4

Dydd Sadwrn · Saturday 5

Dydd Sul · Sunday 6

Nodiadau · Notes

7 Dydd Llun · Monday

8 Dydd Mawrth · Tuesday

9 Dydd Mercher · Wednesday

10 Dydd Iau · Thursday

Dydd Gwener · Friday 11

Dydd Sadwrn · Saturday 12

Dydd Sul · Sunday 13

Nodiadau · Notes

14 Dydd Llun • Monday

♥ Dydd San Ffolant • Valentine's Day

15 Dydd Mawrth • Tuesday

16 Dydd Mercher • Wednesday

17 Dydd Iau • Thursday

Dydd Gwener · Friday 18

Dydd Sadwrn · Saturday 19

Dydd Sul · Sunday 20

Nodiadau · Notes

21 Dydd Llun • Monday

22 Dydd Mawrth • Tuesday

23 Dydd Mercher • Wednesday

24 Dydd Iau • Thursday

Dydd Gwener · Friday 25

Dydd Sadwrn · Saturday 26

Dydd Sul · Sunday 27

Nodiadau · Notes

28 Dydd Llun · Monday

Mawrth · March

1 Dydd Mawrth · Tuesday

Dydd Gŵyl Dewi · St David's Day

2 Dydd Mercher · Wednesday

3 Dydd Iau · Thursday

Dydd Gwener · Friday 4

Dydd Sadwrn · Saturday 5

Dydd Sul · Sunday 6

Nodiadau · Notes

7 Dydd Llun · Monday

8 Dydd Mawrth · Tuesday

9 Dydd Mercher · Wednesday

10 Dydd Iau · Thursday

Dydd Gwener · Friday 11

Dydd Sadwrn · Saturday 12

Dydd Sul · Sunday 13

Nodiadau · Notes

Mawrth · March 2022

14 Dydd Llun · Monday

15 Dydd Mawrth · Tuesday

16 Dydd Mercher · Wednesday

17 Dydd Iau · Thursday

Dydd Gwener · Friday 18

Dydd Sadwrn · Saturday 19

Dydd Sul · Sunday 20

Nodiadau · Notes

21 Dydd Llun · Monday

22 Dydd Mawrth · Tuesday

23 Dydd Mercher · Wednesday

24 Dydd Iau · Thursday

Dydd Gwener · Friday 25

Dydd Sadwrn · Saturday 26

Dydd Sul · Sunday 27

Sul y Mamau · Mother's Day

Nodiadau · Notes

28 Dydd Llun · Monday

29 Dydd Mawrth · Tuesday

30 Dydd Mercher · Wednesday

31 Dydd Iau · Thursday

Ebrill · April

Dydd Gwener · Friday 1

Dydd Sadwrn · Saturday 2

Dydd Sul · Sunday 3

Nodiadau · Notes

4 Dydd Llun · Monday

5 Dydd Mawrth · Tuesday

6 Dydd Mercher · Wednesday

7 Dydd Iau · Thursday

Dydd Gwener · Friday 8

Dydd Sadwrn · Saturday 9

Dydd Sul · Sunday 10

Nodiadau · Notes

Ebrill · April 2022

11 Dydd Llun · Monday

12 Dydd Mawrth · Tuesday

13 Dydd Mercher · Wednesday

14 Dydd Iau · Thursday

Dydd Gwener · Friday 15

Dydd Gwener y Groglith · Good Friday

Dydd Sadwrn · Saturday 16

Dydd Sul · Sunday 17

Sul y Pasg · Easter Sunday

Nodiadau · Notes

18 Dydd Llun · Monday

Dydd Llun y Pasg · Easter Monday

19 Dydd Mawrth · Tuesday

20 Dydd Mercher · Wednesday

21 Dydd Iau · Thursday

Dydd Gwener · Friday 22

Dydd Sadwrn · Saturday 23

Dydd Sul · Sunday 24

Nodiadau · Notes

Ebrill · April 2022

25 Dydd Llun · Monday

26 Dydd Mawrth · Tuesday

27 Dydd Mercher · Wednesday

28 Dydd Iau · Thursday

Dydd Gwener · Friday 29

Dydd Sadwrn · Saturday 30

Nodiadau · Notes

Mai · May

Mai · May 2022

Dydd Sul · Sunday 1

Nodiadau · Notes

Mai · May 2022

2 Dydd Llun · Monday

 Gŵyl Banc Cyntaf Mai · Early May Bank Holiday

3 Dydd Mawrth · Tuesday

4 Dydd Mercher · Wednesday

5 Dydd Iau · Thursday

Dydd Gwener · Friday 6

Dydd Sadwrn · Saturday 7

Dydd Sul · Sunday 8

Nodiadau · Notes

9 Dydd Llun · Monday

10 Dydd Mawrth · Tuesday

11 Dydd Mercher · Wednesday

12 Dydd Iau · Thursday

Dydd Gwener · Friday 13

Dydd Sadwrn · Saturday 14

Dydd Sul · Sunday 15

Nodiadau · Notes

16 Dydd Llun · Monday

17 Dydd Mawrth · Tuesday

18 Dydd Mercher · Wednesday

19 Dydd Iau · Thursday

Dydd Gwener · Friday 20

Dydd Sadwrn · Saturday 21

Dydd Sul · Sunday 22

Nodiadau · Notes

23 Dydd Llun · Monday

24 Dydd Mawrth · Tuesday

25 Dydd Mercher · Wednesday

26 Dydd Iau · Thursday

Dydd Gwener · Friday 27

Dydd Sadwrn · Saturday 28

Dydd Sul · Sunday 29

Nodiadau · Notes

Mai · May 2022

30 Dydd Llun · Monday

31 Dydd Mawrth · Tuesday

Mehefin · June

1 Dydd Mercher · Wednesday

2 Dydd Iau · Thursday

 Gŵyl Banc · Bank Holiday

Dydd Gwener · Friday 3

Dydd Sadwrn · Saturday 4

Dydd Sul · Sunday 5

Nodiadau · Notes

6 Dydd Llun · Monday

7 Dydd Mawrth · Tuesday

8 Dydd Mercher · Wednesday

9 Dydd Iau · Thursday

Dydd Gwener · Friday 10

Dydd Sadwrn · Saturday 11

Dydd Sul · Sunday 12

Nodiadau · Notes

13 Dydd Llun · Monday

14 Dydd Mawrth · Tuesday

15 Dydd Mercher · Wednesday

16 Dydd Iau · Thursday

Dydd Gwener · Friday 17

Dydd Sadwrn · Saturday 18

Dydd Sul · Sunday 19

Sul y Tadau · Father's Day

Nodiadau · Notes

20 Dydd Llun · Monday

21 Dydd Mawrth · Tuesday

22 Dydd Mercher · Wednesday

23 Dydd Iau · Thursday

Dydd Gwener · Friday 24

Dydd Sadwrn · Saturday 25

Dydd Sul · Sunday 26

Nodiadau · Notes

27 Dydd Llun · Monday

28 Dydd Mawrth · Tuesday

29 Dydd Mercher · Wednesday

30 Dydd Iau · Thursday

Nodiadau · Notes

Gorffennaf · July

Dydd Gwener · Friday 1

Dydd Sadwrn · Saturday 2

Dydd Sul · Sunday 3

Nodiadau · Notes

Awst · August

Awst · August 2022

1 Dydd Llun · Monday

2 Dydd Mawrth · Tuesday

3 Dydd Mercher · Wednesday

4 Dydd Iau · Thursday

Dydd Gwener · Friday 5

Dydd Sadwrn · Saturday 6

Dydd Sul · Sunday 7

Nodiadau · Notes

8 Dydd Llun · Monday

9 Dydd Mawrth · Tuesday

10 Dydd Mercher · Wednesday

11 Dydd Iau · Thursday

Dydd Gwener · Friday 12

Dydd Sadwrn · Saturday 13

Dydd Sul · Sunday 14

Nodiadau · Notes

15 Dydd Llun · Monday

16 Dydd Mawrth · Tuesday

17 Dydd Mercher · Wednesday

18 Dydd Iau · Thursday

Dydd Gwener · Friday 19

Dydd Sadwrn · Saturday 20

Dydd Sul · Sunday 21

Nodiadau · Notes

22 Dydd Llun · Monday

23 Dydd Mawrth · Tuesday

24 Dydd Mercher · Wednesday

25 Dydd Iau · Thursday

Dydd Gwener · Friday 26

Dydd Sadwrn · Saturday 27

Dydd Sul · Sunday 28

Nodiadau · Notes

29 Dydd Llun · Monday

⭐ Gŵyl Banc yr Haf · Summer Bank Holiday

30 Dydd Mawrth · Tuesday

31 Dydd Mercher · Wednesday

Medi · September

1   Dydd Iau · Thursday

Dydd Gwener · Friday 2

Dydd Sadwrn · Saturday 3

Dydd Sul · Sunday 4

Nodiadau · Notes

5   Dydd Llun · Monday

6   Dydd Mawrth · Tuesday

7   Dydd Mercher · Wednesday

8   Dydd Iau · Thursday

Dydd Gwener · Friday 9

Dydd Sadwrn · Saturday 10

Dydd Sul · Sunday 11

Nodiadau · Notes

12 Dydd Llun · Monday

13 Dydd Mawrth · Tuesday

14 Dydd Mercher · Wednesday

15 Dydd Iau · Thursday

Dydd Gwener · Friday 16

Dydd Sadwrn · Saturday 17

Dydd Sul · Sunday 18

Nodiadau · Notes

19 Dydd Llun · Monday

20 Dydd Mawrth · Tuesday

21 Dydd Mercher · Wednesday

22 Dydd Iau · Thursday

Dydd Gwener · Friday 23

Dydd Sadwrn · Saturday 24

Dydd Sul · Sunday 25

Nodiadau · Notes

26 Dydd Llun · Monday

27 Dydd Mawrth · Tuesday

28 Dydd Mercher · Wednesday

29 Dydd Iau · Thursday

Dydd Gwener · Friday 30

Nodiadau · Notes

Hydref · October

Dydd Sadwrn · Saturday 1

Dydd Sul · Sunday 2

Nodiadau · Notes

3 Dydd Llun · Monday

4 Dydd Mawrth · Tuesday

5 Dydd Mercher · Wednesday

6 Dydd Iau · Thursday

Dydd Gwener · Friday 7

Dydd Sadwrn · Saturday 8

Dydd Sul · Sunday 9

Nodiadau · Notes

10 Dydd Llun · Monday

11 Dydd Mawrth · Tuesday

12 Dydd Mercher · Wednesday

13 Dydd Iau · Thursday

Dydd Gwener · Friday 14

Dydd Sadwrn · Saturday 15

Dydd Sul · Sunday 16

Nodiadau · Notes

17 Dydd Llun · Monday

18 Dydd Mawrth · Tuesday

19 Dydd Mercher · Wednesday

20 Dydd Iau · Thursday

Dydd Gwener · Friday 21

Dydd Sadwrn · Saturday 22

Dydd Sul · Sunday 23

Nodiadau · Notes

24 Dydd Llun · Monday

25 Dydd Mawrth · Tuesday

26 Dydd Mercher · Wednesday

27 Dydd Iau · Thursday

Dydd Gwener • Friday 28

Dydd Sadwrn • Saturday 29

Dydd Sul • Sunday 30

Nodiadau • Notes

31 Dydd Llun · Monday

Tachwedd · November

1 Dydd Mawrth · Tuesday

2 Dydd Mercher · Wednesday

3 Dydd Iau · Thursday

Dydd Gwener · Friday 4

Dydd Sadwrn · Saturday 5

Dydd Sul · Sunday 6

Nodiadau · Notes

7 Dydd Llun · Monday

8 Dydd Mawrth · Tuesday

9 Dydd Mercher · Wednesday

10 Dydd Iau · Thursday

Dydd Gwener · Friday **11**

Dydd Sadwrn · Saturday **12**

Dydd Sul · Sunday **13**

Nodiadau · Notes

14 Dydd Llun · Monday

15 Dydd Mawrth · Tuesday

16 Dydd Mercher · Wednesday

17 Dydd Iau · Thursday

Dydd Gwener · Friday 18

Dydd Sadwrn · Saturday 19

Dydd Sul · Sunday 20

Nodiadau · Notes

21 Dydd Llun · Monday

22 Dydd Mawrth · Tuesday

23 Dydd Mercher · Wednesday

24 Dydd Iau · Thursday

Dydd Gwener · Friday 25

Dydd Sadwrn · Saturday 26

Dydd Sul · Sunday 27

Nodiadau · Notes

28 Dydd Llun · Monday

29 Dydd Mawrth · Tuesday

30 Dydd Mercher · Wednesday

1 Dydd Iau · Thursday

Dydd Gwener · Friday 2

Dydd Sadwrn · Saturday 3

Dydd Sul · Sunday 4

Nodiadau · Notes

5 Dydd Llun · Monday

6 Dydd Mawrth · Tuesday

7 Dydd Mercher · Wednesday

8 Dydd Iau · Thursday

Dydd Gwener · Friday 9

Dydd Sadwrn · Saturday 10

Dydd Sul · Sunday 11

Nodiadau · Notes

12 Dydd Llun · Monday

13 Dydd Mawrth · Tuesday

14 Dydd Mercher · Wednesday

15 Dydd Iau · Thursday

Dydd Gwener · Friday 16

Dydd Sadwrn · Saturday 17

Dydd Sul · Sunday 18

Nodiadau · Notes

19 Dydd Llun · Monday

20 Dydd Mawrth · Tuesday

21 Dydd Mercher · Wednesday

22 Dydd Iau · Thursday

Dydd Gwener · Friday 23

Dydd Sadwrn · Saturday 24

Dydd Sul · Sunday 25

Dydd Nadolig · Christmas Day 🎄

Nodiadau · Notes

26 Dydd Llun · Monday

⭐ Gŵyl Banc (yn lle Dydd Nadolig) ·
Bank Holiday (in lieu of Christmas Day)

27 Dydd Mawrth · Tuesday

⭐ Gŵyl Banc (yn lle Gŵyl San Steffan) ·
Bank Holiday (in lieu of Boxing Day)

28 Dydd Mercher · Wednesday

29 Dydd Iau · Thursday

Dydd Gwener · Friday 30

Dydd Sadwrn · Saturday 31

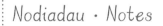

Nodiadau · Notes

Calendr 2023 Calendar

IONAWR 2023 JANUARY

Llu	Maw	Mer	Iau	Gwe	Sad	Sul
						1
2	3	4	5	6	7	8
9	10	11	12	13	14	15
16	17	18	19	20	21	22
23	24	25	26	27	28	29
30	31					
Mo	Tu	We	Th	Fr	Sa	Su

CHWEFROR 2023 FEBRUARY

Llu	Maw	Mer	Iau	Gwe	Sad	Sul
		1	2	3	4	5
6	7	8	9	10	11	12
13	14	15	16	17	18	19
20	21	22	23	24	25	26
27	28					
Mo	Tu	We	Th	Fr	Sa	Su

MAWRTH 2023 MARCH

Llu	Maw	Mer	Iau	Gwe	Sad	Sul
		1	2	3	4	5
6	7	8	9	10	11	12
13	14	15	16	17	18	19
20	21	22	23	24	25	26
27	28	29	30	31		
Mo	Tu	We	Th	Fr	Sa	Su

EBRILL 2023 APRIL

Llu	Maw	Mer	Iau	Gwe	Sad	Sul
					1	2
3	4	5	6	7	8	9
10	11	12	13	14	15	16
17	18	19	20	21	22	23
24	25	26	27	28	29	30
Mo	Tu	We	Th	Fr	Sa	Su

MAI 2023 MAY

Llu	Maw	Mer	Iau	Gwe	Sad	Sul
1	2	3	4	5	6	7
8	9	10	11	12	13	14
15	16	17	18	19	20	21
22	23	24	25	26	27	28
29	30	31				
Mo	Tu	We	Th	Fr	Sa	Su

MEHEFIN 2023 JUNE

Llu	Maw	Mer	Iau	Gwe	Sad	Sul
			1	2	3	4
5	6	7	8	9	10	11
12	13	14	15	16	17	18
19	20	21	22	23	24	25
26	27	28	29	30		
Mo	Tu	We	Th	Fr	Sa	Su

GORFFENNAF 2023 JULY

Llu	Maw	Mer	Iau	Gwe	Sad	Sul
					1	2
3	4	5	6	7	8	9
10	11	12	13	14	15	16
17	18	19	20	21	22	23
24	25	26	27	28	29	30
31						
Mo	Tu	We	Th	Fr	Sa	Su

AWST 2023 AUGUST

Llu	Maw	Mer	Iau	Gwe	Sad	Sul
	1	2	3	4	5	6
7	8	9	10	11	12	13
14	15	16	17	18	19	20
21	22	23	24	25	26	27
28	29	30	31			
Mo	Tu	We	Th	Fr	Sa	Su

MEDI 2023 SEPTEMBER

Llu	Maw	Mer	Iau	Gwe	Sad	Sul
				1	2	3
4	5	6	7	8	9	10
11	12	13	14	15	16	17
18	19	20	21	22	23	24
25	26	27	28	29	30	
Mo	Tu	We	Th	Fr	Sa	Su

HYDREF 2023 OCTOBER

Llu	Maw	Mer	Iau	Gwe	Sad	Sul
						1
2	3	4	5	6	7	8
9	10	11	12	13	14	15
16	17	18	19	20	21	22
23	24	25	26	27	28	29
30	31					
Mo	Tu	We	Th	Fr	Sa	Su

TACHWEDD 2023 NOVEMBER

Llu	Maw	Mer	Iau	Gwe	Sad	Sul
		1	2	3	4	5
6	7	8	9	10	11	12
13	14	15	16	17	18	19
20	21	22	23	24	25	26
27	28	29	30			
Mo	Tu	We	Th	Fr	Sa	Su

RHAGFYR 2023 DECEMBER

Llu	Maw	Mer	Iau	Gwe	Sad	Sul
				1	2	3
4	5	6	7	8	9	10
11	12	13	14	15	16	17
18	19	20	21	22	23	24
25	26	27	28	29	30	31
Mo	Tu	We	Th	Fr	Sa	Su